Série Alexis

# Macaroni en folie

**DOMINIQUE DEMERS**

ILLUSTRATIONS : PHILIPPE BÉHA

Québec Amérique

**Catalogage avant publication de Bibliothèque et Archives Canada**

Demers, Dominique
Macaroni en folie
(Bilbo ; 179)
(Série Alexis ; 7)
Pour les jeunes.

ISBN 978-2-7644-0720-2
I. Béha, Philippe. II. Titre. III. Collection: Demers, Dominique. Série Alexis ; 7.
IV. Collection: Bilbo jeunesse ; 179.

PS8557.E468M32 2009 jC843'.54 C2009-940619-5
PS9557.E468M32 2009

Conseil des Arts du Canada | Canada Council for the Arts | SODEC Québec

Nous reconnaissons l'aide financière du gouvernement du Canada par l'entremise du Fonds du livre du Canada pour nos activités d'édition.

Gouvernement du Québec – Programme de crédit d'impôt pour l'édition de livres – Gestion SODEC.

Les Éditions Québec Amérique bénéficient du programme de subvention globale du Conseil des Arts du Canada. Elles tiennent également à remercier la SODEC pour son appui financier.

Québec Amérique
329, rue de la Commune Ouest, 3e étage
Montréal (Québec) H2Y 2E1
Téléphone : 514 499-3000, télécopieur : 514 499-3010

Dépôt légal : 3e trimestre 2009
Bibliothèque nationale du Québec
Bibliothèque nationale du Canada

Révision linguistique: Diane Martin et Chantale Landry
Mise en pages: Andréa Joseph [pagexpress@videotron.ca]
Conception graphique: Isabelle Lépine et Renaud Leclerc Latulippe
Réimpression: octobre 2012


**www.quebec-amerique.com**

Imprimé au Canada

*Au vrai de vrai Alexis*
*qui est papa aujourd'hui.*

# Remerciements

De formidables enfants et d'aussi formidables enseignantes ont lu ce roman avant la publication et m'ont fait le cadeau de leurs judicieux conseils. Merci à Julie Cyr, Martine Giroux, Martine Ménard et leurs élèves. Un autre gros merci à Pascale Grenier, formidable bibliothécaire à la BANQ qui a accepté de lire le manuscrit et de m'éclairer avec de précieux commentaires. Enfin, merci à tous les enfants que je rencontre et qui m'inspirent magnifiquement.

# 1

# Tête de têtard !

C'est la catastrophe. L'horreur ! La fin du monde.

Pourtant, la journée avait bien commencé. Ce matin, Katarina m'attendait dans la cour d'école avec une surprise. Un gros morceau de gâteau au chocolat et à la cerise.

Je raffole des gâteaux. Tous les gâteaux. Vanille, noisettes, fraises, orange, érable... Mais ce morceau-là était encore plus appétissant parce que Katarina l'avait fait elle-même. Avec juste un peu d'aide de sa mère.

J'ai voulu y goûter tout de suite. Finalement, je l'ai tout mangé. Même si j'avais déjà englouti quatre rôties-super-spécial-Alexis avec du fromage, du caramel et des rondelles de banane.

J'avais un sourire qui s'étirait jusqu'aux oreilles en rentrant dans la classe tellement j'étais de bonne humeur. Mon sourire a fondu lorsque Macaroni a annoncé :

— Les amis, j'ai un beau projet pour vous…

J'ai tout de suite deviné que Macaroni allait nous communiquer une idée pourrie.

Le vrai nom de ma maîtresse, c'est Ghislaine Brisebois. Nous, on l'appelle Macaroni parce qu'elle est souvent nouille. La preuve ? Son projet !

— Nous allons vivre une expérience très enrichissante, a continué Macaroni.

Là, j'ai compris que ce serait pire que pire. Quand Macaroni parle d'« une expérience très enrichissante », ça veut dire que ça va être nul. Très nul.

— Dès maintenant, nous allons éteindre nos écrans.

Au mot « écran », les élèves qui n'écoutaient pas ont ouvert leurs oreilles.

— Pendant dix jours, nous allons vivre sans télévision, ni ordinateur, ni jeu électronique.

Je me suis pincé le bras au cas où ç'aurait été un cauchemar. C'était vrai. Affreusement, épouvantablement, abominablement vrai.

J'étais trop en état de choc pour réagir autrement qu'en gardant la

bouche ouverte et les yeux ronds comme des roues de camion.

William a protesté :

— On n'a rien fait pour mériter une punition !

— Ce n'est pas une punition, a corrigé Macaroni, tout sourire. C'est une expérience de vie. Vous allez reposer vos yeux, calmer votre cervelle et découvrir une foule d'activités nouvelles.

Fesses de maringouin ! Tête de têtard ! Macaroni était sérieuse.

Dix jours sans écran ! C'est totalement impossible.

Je vais mourir. C'est certain.

Surtout que je viens de recevoir un nouveau jeu électronique de mon parrain : « Dragonia ». C'est génial !

J'ai déjà traversé douze royaumes. Au prochain, je vais recevoir l'épée du grand chevalier. Je ne peux pas m'arrêter maintenant.

Macaroni a perdu la raison. Il faut trouver une solution.

Dix jours sans écran ! Il doit bien exister une société pour la protection des enfants.

# 2

# La fée Frisette

Je comptais sur ma mère. Elle allait admettre que ma maîtresse est un peu détraquée. Un jour sans écran, ça peut toujours aller. Mais dix, c'est inhumain. Cruel. Peut-être même mortel !

J'étais sûr que ma mère comprendrait. Erreur ! Elle a trouvé l'idée de Macaroni géniale.

— Ton enseignante a raison, Alexis. Il faut apprendre à diversifier nos loisirs.

Et blablablablablabla. J'ai eu beau plaider, soupirer, gémir, me lamenter et presque pleurer, ma mère n'a pas bronché.

J'ai menacé de ne plus manger, puis de ne plus dormir. Sans succès.

Alors, j'ai pris une toute petite voix infiniment tristounette et j'ai fait comprendre à ma mère que c'était dan-ge-reux.

—Je vais tomber malade. Je le sens.

—Si c'est le cas, Alexis, ça prouve que nous aurions dû éteindre les écrans bien avant, a déclaré ma mère.

Puis elle a signé la feuille que nous a remise Macaroni. Celle qui explique le projet de vivre dix jours sans écran. Le pire, c'est que ça commençait… maintenant !

J'étais furieux. Je suis monté dans ma chambre en faisant trembler les marches d'escalier. Là, j'ai pris une feuille de papier et j'ai écrit.

Opération survie

But: ne pas mourir à cause des folies de Macaroni

Méthode: jouer à Dragonia en cachette

Matériel: toute l'énergie du désespoir du grand chevalier tueur de dragons, Alexis Dumoulin-Marchand

Date: tout de suite!

Il fallait que j'obtienne la permission d'aller faire mes devoirs chez Henri. Les parents d'Henri sont en voyage et sa gardienne est beaucoup moins sévère qu'un parent ordinaire. Je savais que ce serait plus facile de tricher chez lui.

J'allais sortir de ma chambre lorsque ma chipie de sœur a frappé à ma porte. Comme d'habitude, je n'ai pas eu le temps de lui crier de NE PAS entrer. C'était déjà fait !

— Pauvre Alexzis. Ze zais tout. Dix zours zans télévision. Z'est terrible, a dit la petite horreur.

Ma sœur m'énerve, mais elle avait vraiment l'air désolée pour moi. Parfois je me dis qu'elle n'est pas *SI* détestable.

— Pour te conzoler, ze te prête ma fée Frisette, Alexzis !

Marie-Cléo m'a tendu une poupée extra-laide avec d'affreux cheveux roses et une baguette brillante à la main.

Au secours ! La fée Frisette, c'est trop déprimant pour moi.

J'ai laissé Frisette dans ma chambre et je suis descendu à la cuisine.

Le repas était prêt et mon père n'était pas rentré. Parfait ! D'habitude, ma mère est plus facile à convaincre.

Pour qu'elle soit de bonne humeur, j'ai mangé sans rouspéter les vingt-trois petits pois dans mon assiette. Un vrai héros !

Puis, j'ai raconté que je devais faire un devoir avec Henri qui habite à 55 secondes de chez moi. Je le sais parce qu'on s'est déjà chronométrés en courant.

Maman a hésité. Finalement, elle a dit oui. Fiou !

Malheureusement, au moment où j'allais franchir la porte, ma mère a eu l'idée brillante d'inspecter mon sac d'école.

Et qu'a-t-elle trouvé, tu penses ? Eh oui : le CD de Dragonia !

Résultat ? Je suis condamné à rester enfermé dans ma chambre comme un prisonnier jusqu'à demain matin.

Avec la fée Frisette !

# 3

# Opération... minuit !

J'étais seul et je n'avais rien à faire. J'ai fouillé dans le fond de mon placard et j'ai trouvé une bande dessinée que j'avais oubliée : *Alerte aux goules*, d'Igor Budapeste. C'est l'histoire d'un petit garçon égaré dans une caverne hantée par les goules, des monstres affreux qui puent en plus.

À la dernière page, je suis tombé endormi. Paf ! Et j'ai fait un cauchemar horrible. Les goules avaient envahi notre ville et ils dévoraient tous les écrans. Télévisions, ordinateurs, jeux électroniques... Tout !

À minuit pile, je me suis réveillé. J'avais les mains dégoulinantes de sueur et mon cœur jouait au ping-pong.

J'ai tout de suite pensé à un remède : Dragonia ! Pendant que mes doigts pressent les boutons de la commande, j'oublie tout. Je ne suis plus Alexis Dumoulin-Marchand mais Alexis le grand chevalier tueur de dragons.

À l'instant où le gros orteil de mon pied droit a touché le

plancher, je me suis souvenu de la folie de Macaroni. Interdiction d'écran !

Tout de suite après, je me suis rappelé la déception de ma mère quand elle a trouvé Dragonia dans mon sac d'école. Je me suis aussi souvenu de ma punition.

J'ai réfléchi pendant au moins dix secondes. D'un côté, il y avait le risque d'être pris en flagrant délit. De l'autre, il y avait tous ces dragons à combattre et l'épée magique à obtenir.

Devine ce que j'ai choisi ? Eh oui…

J'ai fait trois pas vers la porte pour sortir de ma chambre et soudain… Catastrophe ! Mon plan a failli échouer avant même de commencer. En avançant dans le noir sans faire de bruit, j'ai mis un pied sur la fée Frisette et… elle s'est mise à parler.

Je te jure ! C'est une poupée parlante. La fée Frisette dit des niaiseries quand on appuie sur son ventre.

— Bonjooouuur ! Je suis la fée Friiisette.

Je me suis figé sur place. Comme si je venais d'être congelé instantanément.

J'ai attendu sans bouger. Heureusement, la fée Frisette ne parle pas très fort.

Fiou ! Mon père, ma mère et ma sœur dormaient toujours.

Après, tout s'est bien déroulé. J'ai descendu l'escalier, ouvert la télé en enlevant le son, branché mon jeu et… tué neuf dragons.

Deux de plus, et j'allais recevoir ma nouvelle épée. C'est là que j'ai entendu craquer les marches de l'escalier.

Trois secondes plus tard, ma sœur était devant moi.

Elle me regardait d'un air catastrophé comme si je venais de commettre le pire crime de l'histoire de l'humanité.

— Alexzis ! Tu désobéis ! Z'est pas fin za, a zézayé ma sœur.

D'habitude, j'ai le tour de calmer Marie-Cléo en inventant n'importe quoi. Mais là, à une heure du matin, j'avais la cervelle trop molle.

J'ai donc choisi la méthode des menaces. Avec Marie-Cléo, c'est toujours efficace.

— Si tu dis à papa ou à maman que j'ai joué à Dragonia en cachette, tu vas le regretter toute ta vie. Compris ?

Marie-Cléo a pincé les lèvres et ses yeux ont lancé quelques éclairs.

Pour bien l'effrayer, j'ai ajouté :

— Et je vais dire à tous tes amis que tu es amoureuse d'Henri.

Ma sœur m'a regardé comme si j'étais un monstre à trois têtes. J'étais fier de mon coup… jusqu'à ce qu'elle ajoute :

— T'es TROP méchant, Alexzis ! Ze vais le dire à maman.

La petite horreur a éclaté en sanglots en faisant un bruit épouvantable :

— Bou hou hou ! Beu heu heu ! Bou hou hou !

C'est là que j'ai entendu ma mère descendre les marches de l'escalier.

# 4

# Schloupe

Je m'attendais au pire, mais ma mère ne m'a même pas chicané.

D'abord, j'ai eu la brillante idée de fermer la télé. Et j'ai caché le CD sous mon pyjama.

—Qu'est-ce qui se passe ? a demandé maman.

J'ai eu un éclair de génie.

—Marie-Cléo a fait un cauchemar.

Ce n'était pas dur à croire. Elle pleurait assez fort pour réveiller les morts.

—Je suis descendu… pour lui donner un verre de lait.

Ma sœur n'a rien ajouté. Elle était trop occupée à beugler.

— C'est gentil, mon coco, a dit maman en me caressant la tête. Va dormir maintenant, je m'occupe de Marie-Cléo.

Le coco est reparti en cachant Dragonia sous son pyjama.

Ce matin, j'avais très peur que ma sœur me dénonce. Elle m'a lancé un regard noir en venant chercher Frisette dans ma chambre. Heureusement, elle n'a rien dit à maman. Au petit-déjeuner, elle a mangé ses céréales en parlant à la fée Frisette comme tous les matins.

Lorsque je suis arrivé dans la cour d'école, Katarina, Henri, Lucas et Émilie racontaient leur soirée sans télé.

— Moi, ça m'a coupé l'appétit, s'est plaint Lucas. D'habitude, je regarde *Les Zinzouins* avant de manger. C'est mon émission préférée. Hier, j'ai tourné en rond jusqu'au repas et j'ai laissé la moitié de mes frites dans mon assiette.

— Moi aussi, j'ai eu une soirée pourrie, a raconté Émilie. Il y avait un super bon film à la télé.

Mon grand frère a eu le droit de le regarder, mais pas moi.

— Toi, Katarina, comment s'est passée ta soirée ? a demandé Henri.

Katarina, c'est un peu ma blonde. Elle vient d'Espagne, un pays de l'autre côté de l'océan.

Henri aussi la trouve de son goût. Alors, il essaie toujours d'être gentil avec Katarina et de capter son attention.

— J'ai passé une soirée merveilleuse ! a déclaré Katarina.

On a tous pensé que c'était une blague. Eh bien non !

— J'ai organisé une course aux trésors avec ma cousine et deux voisins. On a joué jusqu'à ce qu'il fasse trop noir pour continuer. Après, on était affamés, alors maman nous a préparé des sandwiches au fromage grillés. Je ne me suis vraiment pas ennuyée !

—Moi non plus ! a déclaré Henri l'hypocrite.

J'étais sûr qu'il avait triché. Katarina lui a adressé un immense sourire ensoleillé. Puis, elle s'est tournée vers moi avec un petit sourire en coin :

—Et toi, Alexis, as-tu essayé de jouer à ton jeu de dragons en cachette ?

—Moi ? Ah non, pas du tout ! ai-je menti. J'ai… j'ai… lu… une bande dessinée et… et…

Je cherchais quelque chose pour impressionner Katarina. Pour lui montrer que moi aussi j'étais capable de vivre sans télé.

—J'ai… j'ai inventé un jeu…

— Un jeu de quoi ? a demandé Henri, suspicieux.

— Un jeu… de…

J'étais vraiment dans le pétrin. Je ne savais pas du tout quoi ajouter. Je fixais mes pieds en attendant une inspiration.

C'est là que j'ai lu un nom sur mes espadrilles : schloupe.

Sans réfléchir, j'ai lancé :

— Un jeu de schloupe !

Tous mes amis m'observaient comme si je venais d'être élu premier ministre ou de remporter la coupe Stanley.

— Un jeu de schloupe ? Wow ! C'est quoi exactement ? a demandé Katarina.

Elle me regardait avec ses beaux yeux brillants. Je ne pouvais pas admettre que je venais d'inventer n'importe quoi.

Fesses de maringouin ! Un jeu de schloupe. Qu'est-ce qui m'a pris de dire ça ? Qu'est-ce que je vais faire maintenant ?

AU SECOOUUURRS ! ! ! ! ! !

Heureusement, la cloche a sonné.

# 5

# Une poubelle qui pue

Neuf amis m'attendaient à la sortie des classes : Katarina, Lucas, Émilie, Henri, Rosaline, Marilou, Charles, Alberto et Joachim. Ils mouraient tous d'envie de jouer au schloupe.

— Est-ce qu'il faut une balle ou un ballon ? a demandé Alberto.

— Est-ce que c'est effrayant ou dangereux ? a questionné Marilou.

— Est-ce qu'on joue en équipes ? a voulu savoir Émilie.

— Pauvre Alexis ! Laissez-le parler, a plaidé Katarina en roulant des yeux tendres vers moi.

Je m'étais creusé la cervelle toute la journée pendant que Macaroni enseignait les divisions à deux chiffres et le pluriel des mots « pou » et « hibou ».

Malheureusement, je n'étais pas plus avancé.

Le jeu de schloupe ! Niaiseux d'Alexis. Quelle folie. J'étais aussi pire que Macaroni.

Katarina me dévisageait comme si j'étais l'homme le plus important de l'univers. Et les autres attendaient que je leur fasse une grande révélation. J'étais pris au piège.

Soudain, enfin, j'ai eu un éclair de génie.

— C'est à vous de deviner !

— Quoi ? Tu ne veux pas le dire ? Tu te moques de nous, Alexis, s'est plaint Henri.

J'ai pris un air scandalisé :

— Pas du tout ! Deviner… ça fait partie du jeu. Pensez-y ! Réfléchissez un peu… Rendez-vous demain matin, avant la cloche, ici même, avec vos réponses.

Après l'école, Henri m'a raccompagné à la maison. Il m'a offert sa planche à roulettes pour deux jours si je lui expliquais tout de suite le jeu de schloupe.

Émilie m'a téléphoné. Elle m'a promis une pointe de pizza si je lui donnais la réponse immédiatement.

J'étais tellement angoissé que je n'ai mangé qu'un seul hamburger au souper.

Ma mère s'est inquiétée :

— Pauvre petit coco ! Je sais que tu trouves ça difficile de vivre sans écran... Mais c'est la preuve que tu passais trop de temps devant.

Pour m'encourager, maman m'a promis un repas au restaurant de mon choix à la fin des dix jours de Macaroni en folie. J'ai à peine réagi. J'étais trop occupé à essayer d'imaginer un jeu de schloupe.

Tout à coup, j'ai pensé à mon grand-père. Il s'appelle Max, il habite en A-bi-ti-bi et il a toujours de bonnes idées.

Quand mon papi était petit, il n'y avait pas de télévisions ni d'ordinateurs. Il devait donc inventer d'autres jeux.

J'ai mené mon enquête au téléphone. Papi m'a raconté qu'il

jouait souvent à la cachette avec ses amis.

—Tu te cachais sous ton lit comme Marie-Cléo ?

Franchement, j'étais déçu.

—Ah non ! On jouait dehors. On trouvait des cachettes extraordinaires. Un jour, je me suis caché dans une poubelle et les éboueurs ont failli me ramasser !

—Aïe aïe aïe ! Papi… Tu t'es vraiment caché dans une poubelle ? Une poubelle… qui pue ?

—Oui ! Mais j'ai gagné la partie.

Cher papi ! Je pense qu'il était aussi tannant que moi quand il était petit.

# 6

# Photo mystère

Le lendemain matin, nous étions tous dans la cour d'école bien avant la cloche. Mes amis étaient pas mal excités.

—C'est un jeu de théâtre! a suggéré Katarina.

—Non.

—Une sorte de glu qu'on peut lancer, a proposé Émilie.

—Non.

—Un jeu de guerre où les bons capturent les méchants et les emprisonnent dans un cachot qui s'appelle Le Schloupe, a dit Lucas.

—Non.

J'ai répondu non à toutes leurs suggestions même si c'étaient de super bonnes idées. Il ne me restait plus qu'à leur parler du grand jeu de cachette de Papi.

Henri allait sûrement dire que c'était un jeu ordinaire. Il se pense toujours tellement bon ! Henri se vante sans arrêt. Il dit qu'un jour il sera un grand agent secret ou un détective célèbre.

Soudain, j'ai eu une idée de génie.

—Le schloupe, c'est un jeu de détective. Il faut... trouver des objets suspects. Et mener une enquête pour résoudre un mystère... ou arrêter un voleur, ai-je expliqué.

—Wow ! C'est génial, Alexis ! a déclaré Lucas. On commence quand ?

—Aujourd'hui. L'enquête débute tout de suite après l'école. Demain matin, on se retrouve ici, à la même heure, avec ce qu'on a trouvé.

—On cherche quoi ? a voulu savoir Alberto.

— Des traces ou des objets… N'importe quoi de suspect.

— On enquête seul ou en équipe ? a demandé Joachim.

— En équipe de deux, ai-je décidé en regardant Katarina.

Ma presque blonde a accepté d'être ma partenaire de schloupe. On s'est donné rendez-vous dans le petit parc à côté de l'école après la cloche de fin d'après-midi. On s'est mis au travail aussitôt en fouillant un peu partout.

Katarina a découvert un gros bouton vert dans les buissons. Et moi, un stylo rouge qui fonctionne encore. On a aussi trouvé plein de trucs dégueulasses : des papiers gras, un bout de pizza crotté, des cœurs de pommes, des verres de plastique vides…

Au bout d'une heure, j'étais un peu découragé.

Katarina a lancé :

— Ce n'est pas *si* excitant ton jeu, Alexis...

— Attends ! Regarde...

Je venais de trouver une feuille de papier froissée avec une photo de chien. Une belle grosse bête avec de grands yeux doux.

Sous l'image, c'était écrit : *Chien perdu ou volé. Récompense offerte à celui qui rapportera...*

Le reste était déchiré. Il manquait le nom du chien et le numéro de téléphone du propriétaire.

— C'est merveilleux, Alexis ! s'est écriée Katarina. Il faut retrouver ce chien.

J'ai fait oui de la tête. Je n'en croyais pas mes yeux.

J'adorais jouer au schloupe !

Richmond Hill Public Library
. Check OUT Receipt

User ID: 22971004652315

Item ID: 32972001591959
Title: Créatures hostiles
Date due: December 16, 2019 11:59 PM

Item ID: 32971014190338
Title: Macaroni en folie [7]
Date due: December 16, 2019 11:59 PM

Total checkouts for session: 2
Total checkouts:2

---

Richmond Hill Public Library
Proudly Enriching Your Connections, Choices and Community.

# 7

# Au bandit !

Au souper, j'ai mangé tous mes choux-fleurs même s'ils me donnaient mal au cœur. Puis, j'ai demandé à mon père de m'accompagner à la bibliothèque.

Il a failli avaler sa cravate tellement il était surpris.

— Je veux emprunter des livres sur les détectives, lui ai-je expliqué. C'est pour une recherche…

En route vers la bibliothèque, mon père m'a raconté qu'il lisait des romans de jeunes détectives à mon âge. Le club des cinq.

J'en ai emprunté un à la bibliothèque. La page couverture est

poche, mais mon père dit que c'est bon quand même. J'ai aussi trouvé deux autres romans avec des enfants détectives et un livre intitulé *Trucs et astuces de grands détectives*.

Je me suis installé sous mes couvertures avec une lampe de poche et j'ai lu jusqu'à presque minuit. J'étais un peu fatigué en arrivant dans la cour d'école ce matin pour notre réunion.

Le jeu de schloupe, ce n'est vraiment pas reposant.

Mes amis et moi avons mis nos découvertes en commun. Henri et Émilie ont rapporté deux clés et une pièce d'un dollar. Lucas et Joachim étaient fiers de leur butin : une boucle d'oreille et…

un soulier ! Un soulier presque neuf, même pas usé.

— C'est sûrement un soulier de bandit, a dit Rosaline. Le méchant a commis un crime puis il s'est sauvé et en courant il a perdu un soulier.

— Comme Cendrillon ! a glissé Joachim, moqueur.

Rosaline avait fait équipe avec Marilou. Elles ont rapporté un carnet d'adresses rose fluo pas mal abîmé.

— Ça appartient peut-être à la victime du bandit qui a perdu un soulier, a suggéré Marilou. On l'a trouvé pas tellement loin…

— Il va falloir vérifier tous les numéros de téléphone, ai-je décidé.

J'avais lu dans le livre *Trucs et astuces de grands détectives* qu'il ne fallait négliger aucune piste.

— Tu charries un peu, Alexis ! a protesté Henri. Rien ne prouve qu'il y a un bandit près d'ici.

— Ni que son nom est dans ce carnet, a ajouté Lucas.

C'est là que j'ai exhibé la pièce à conviction : l'affiche du chien volé.

— Voilà la preuve du crime, ai-je lancé, fier de moi. C'est bien écrit : chien *volé*.

— Ou *perdu*, a insisté Henri.

J'allais lui répondre que s'il ne voulait pas jouer au schloupe, il n'avait qu'à s'en aller lorsque Charles et Alberto ont déclaré :

— Wow ! C'est vraiment fort ton jeu, Alexis. Regardez ce qu'on a trouvé…

Charles a fouillé dans son sac d'école. On a tous crié en voyant ce qu'ils avaient rapporté.

C'était une médaille. Une médaille… de chien !

# 8

# À l'attaque !

Tout de suite après l'école, nous avons installé un quartier général d'enquête dans le sous-sol chez Rosaline.

Lucas est allé chercher sa loupe et nous avons examiné la médaille. D'un côté, il y a un dessin de patte de chien et de l'autre, un nom : Milou. C'est tout.

Marilou et Rosaline ont reçu pour mission de composer tous les numéros du carnet d'adresses en demandant aux gens s'ils connaissaient quelqu'un qui avait perdu un chien ou un soulier.

Henri et Émilie ont fait équipe avec Alberto et Charles pour fouiller le parc où ils avaient trouvé la médaille. Lucas et Joachim sont retournés dans la ruelle où ils avaient déniché le premier soulier.

Katarina et moi ? J'ai décidé que j'étais chef enquêteur. Katarina est mon assistante. Notre travail à nous, c'est de diriger l'enquête.

Le premier soir, Henri, Émilie, Alberto, Charles, Lucas et Joachim ont rapporté une vieille chaussette,

deux pièces de dix sous et un gant troué.

Rosaline et Marilou ont eu plus de succès. Elles ont trouvé le propriétaire du carnet d'adresses. Ce n'était pas très compliqué : son nom et son numéro de téléphone étaient inscrits à la fin du carnet.

C'est Sofia Parisiola. La chanteuse !

Elle habite dans le quartier. Les filles espéraient avoir une récompense. La chanteuse leur a expliqué que ce n'était qu'un vieux carnet. Elle pensait l'avoir mis à la poubelle.

Rosaline et Marilou étaient quand même contentes parce qu'elles ont pu visiter l'appartement d'une vedette.

Le lendemain, j'ai proposé qu'on enquête tous ensemble autour du parc où j'avais trouvé la photo du chien.

Nous avons ramassé deux boutons, un lacet, une chaîne cassée et un mini toutou éventré. Et tous les passants à qui nous avons demandé s'ils avaient vu un individu suspect nous ont dévisagés comme si c'étaient nous les bandits.

Mes amis commençaient à trouver mon jeu plate. Je pensais à Dragonia, à Macaroni et à sa folie quand j'ai entendu quelqu'un crier :

— Milou ! Reviens !

C'était presque trop beau. Le voleur de chien était droit devant nous. Il était grand comme un géant. Il portait un long manteau sombre et un chapeau noir.

Le voleur courait derrière le pauvre Milou qui s'enfuyait à toutes jambes.

J'ai hurlé :

— Vite ! Attrapez le chien.

Lucas, Henri, Charles, Rosaline, Joachim, Alberto, Marilou et Émilie se sont lancés à la poursuite de Milou.

Moi, n'écoutant que mon courage, j'ai foncé vers le bandit. Katarina a essayé de me retenir, mais je l'ai repoussée.

J'allais sauter sur le voleur quand j'ai glissé sur un vieux papier gras et je me suis étalé de tout mon long sur le gazon.

L'homme s'est arrêté et il s'est tourné vers moi. J'en ai profité pour l'attraper par les chevilles. J'ai tiré fort et j'ai réussi à le faire tomber.

C'est là que je l'ai reconnu.

C'était Monsieur Torture. Notre directeur d'école !

# 9

# Milou-le-délinquant

Le vrai nom de notre directeur, c'est Claude Toutan. On l'appelle Monsieur Torture parce que ceux qui ne le connaissent pas le trouvent un peu effrayant. Il est tellement grand !

Nous ne savions pas que notre directeur avait un chien. Milou

est énorme… et très désobéissant. Il adore se sauver.

Il y a un mois, il s'est enfui. Monsieur Torture a mis des affiches partout en promettant une récompense. Deux jours plus tard, les policiers le lui ont ramené.

J'ai dû expliquer à notre directeur pourquoi je l'avais attrapé par les chevilles et fait tomber.

Je pensais qu'il me gronderait ou qu'il me trouverait nono. Mais non. Quand les autres nous ont rejoints avec Milou, Monsieur Torture nous a raconté qu'il menait des enquêtes lui aussi quand il était plus jeune.

— Avez-vous déjà trouvé un trésor ou attrapé un bandit ? a demandé Henri.

— Non… mais j'ai fait toutes sortes de découvertes très intéressantes, a-t-il répondu.

Monsieur Torture n'a pas accepté d'en dire plus. Pour nous récompenser de l'avoir aidé à rattraper son chien, il nous a offert des cornets de crème glacée au dépanneur.

C'était délicieux !

Le jour même, nous avons fondé un club de détectives : Les Schloupeurs. Nous n'avons pas encore résolu le mystère du soulier perdu, mais nous y travaillons.

En quelques jours, nous avons accumulé plusieurs objets suspects. Une lettre d'amour déchirée, un livre dédicacé, un foulard parfumé et une très vieille clé.

Lucas croit que c'est le genre de clé qui ouvre un coffre au trésor ou un coffre-fort.

Ce matin, Macaroni a annoncé que l'interdiction d'écran était levée. Nous avons tous survécu à dix jours sans télévision, ni ordinateur, ni jeu électronique.

Honnêtement, l'expérience n'a pas été si pénible. Mais je ne vais pas l'avouer à maman, au cas où elle changerait d'idée pour le repas au restaurant. Une promesse, c'est une promesse !

En rentrant de l'école, j'avais quand même hâte de tuer quelques dragons sur l'écran de télévision. Au moment où j'allumais l'écran, devine ce qui est arrivé ?

Une panne d'électricité ! Tout le quartier était touché. Les Schloupeurs se sont réunis chez Rosaline et j'ai proposé un grand jeu de cachette.

Tu ne devineras jamais où je me suis caché…

# As-tu lu les autres titres de la série Alexis ?

# Valentine
## picotée

Au secours ! La Saint-Valentin approche et Macaroni, mon prof, a inventé un jeu super nono. Chaque élève doit choisir un Valentin ou une Valentine. Avant je trouvais les filles nouilles, mais là je me demande si Katarina accepterait de devenir ma Valentine ?

# Toto la brute

Je suis tanné ! J'en ai assez de me faire jouer des tours et voler mon lunch par Toto la brute. J'aurais envie de le pendre par les orteils ou de l'enfermer dans une prison remplie de scorpions ! Il faut que je trouve un moyen pour qu'il me fiche la paix.

# Marie
# la chipie

Marie-Cléo est terriblement, monstrueusement, épouvantablement DÉ-TES-TA-BLE. Une vraie chipie ! Pire que tout, c'est ma sœur ! Qu'est-ce que je ferais bien pour me débarrasser d'elle ? M'enfuir de la maison ? Non, moi le brillant, l'extraordinaire, le merveilleux Alexis Dumoulin-Marchand, j'ai une idée bien plus géniale…

# Roméo Lebeau

« Ma belle. » C'est comme ça que le moniteur du camp Les Grouillevite a appelé Katarina. *Ma* Katarina ! C'est bien simple, je l'aurais étranglé... En plus, au souper, Katarina ne s'est pas assise avec moi. Elle a choisi la table de Roméo Chose. Se pourrait-il que moi, le célèbre Alexis Dumoulin-Marchand, je sois jaloux de ce grand flagada de Roméo Lebeau ?

# Léon Maigrichon

Fesses de maringouin ! Macaroni, mon professeur, a lancé un nouveau concours super idiot. Tout le monde doit voter pour le champion des champions de la classe. Et devine ce que remporte le gagnant ou la gagnante ? La gloire, l'honneur, l'admiration… et dix sundaes ! Je serais prêt à TOUT pour gagner. Mais moi, je ne suis le champion… de rien.

# Alexa Gougougaga

Les bébés, c'est bien connu, ça pue ! En plus, ça pleure tout le temps ! C'est évident : il n'y a pas de place pour un pareil monstre à la maison. Marie-Cléo, ma petite peste de sœur de quatre ans et demi, me crée déjà suffisamment d'ennuis. D'un autre côté, ma douce Katarina semble en admiration devant Henri, depuis qu'il montre à tout le monde la photo de sa future petite sœur…